Histórias Tradicionais Portuguesas

Alice Vieira

O Menino da Lua

Corre, Corre, Cabacinha

Ilustrações de Maria João Lopes

8.ª edição

CAMINHO

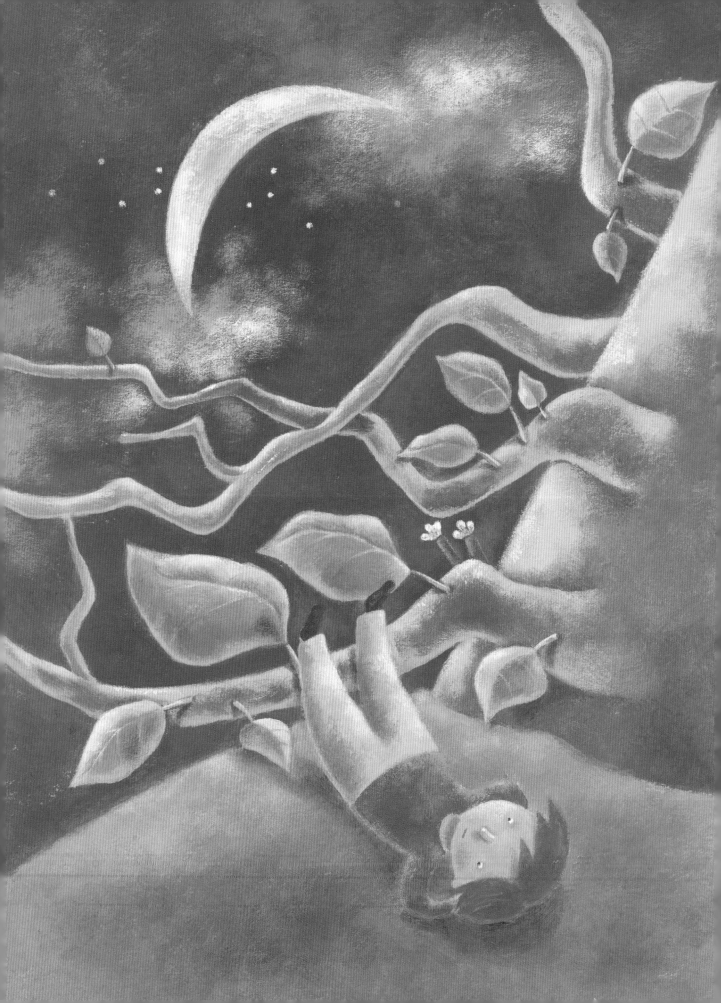

O Menino da Lua

Era uma vez um homem a quem a mulher morrera ao dar à luz um filho.

E porque era difícil criar um filho sozinho, decidiu o homem casar pela segunda vez.

Mas a nova mulher não gostava do menino e inventava sempre maneiras de o castigar, mesmo que ele nada tivesse feito que merecesse castigo.

Então, para escapar à madrasta, muito pequenino ainda o menino se habituara a sair de casa cedo, só voltando à noite. E passava o tempo todo a olhar para a Lua.

Quer a Lua estivesse cheia, cheia, cheia…

Quer a Lua estivesse minguada, minguada, minguada…

Até mesmo quando a Lua desaparecia do céu e ninguém sabia por onde é que ela andava.

O menino nunca faltava.

— Porque olhas tanto para a Lua e esqueces tudo o mais que te rodeia? — perguntava-lhe o pai.

— Porque não tens tempo para fazer o que te mando, e pareces ter o tempo todo do mundo para olhar para a Lua? — perguntava-lhe a madrasta.

— Porque passas a tua vida a olhar para a Lua e nunca brincas connosco? — perguntavam-lhe os outros meninos da terra.

Mas ele continuava a olhar para a Lua e nunca respondia.

Tantas vezes o pai insistiu que um dia o menino acabou por dizer:

— A Lua está a mandar-me um recado. Mas eu sou muito pequeno e não consigo entender.

— E que te diz a Lua?

— Diz-me que um dia o meu pai me há de querer deitar água nas mãos e eu não hei de deixar.

Nessa noite o homem contou à mulher a conversa que tivera com o filho e logo ela se pôs a gritar:

— Ó homem, pois ainda não percebeste?! Isso significa que um dia, quando ele crescer, há de querer mandar em nós e havemos de ser ambos criados dele! A única coisa a fazer é deitá-lo já a afogar! Amanhã, bem cedo, antes que ele acorde, pega nele e atira-o à água, com muita força para que se afunde imediatamente.

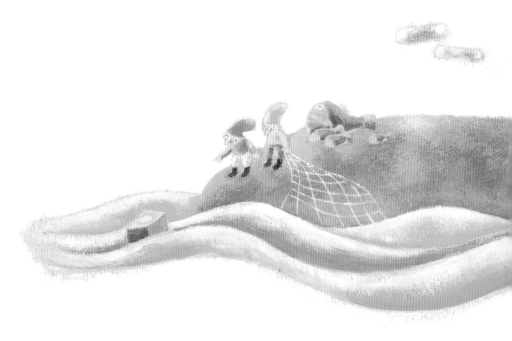

Mas o pai não teve coragem de fazer o que a mulher mandava.

Tirou o filho da cama ainda a dormir, meteu-o dentro de um caixote de madeira castanha, desenhou na tampa uma grande lua cheia, fechou-o muito bem, fazendo apenas alguns furos para que pudesse respirar — e lançou-o sobre as águas.

Três dias e três noites andou o caixote sobre as ondas do mar, protegido pela Lua, que lá do alto regulava ventos e marés.

Até que um grupo de pescadores, que numa das margens tinha lançado as suas redes, avistou o caixote e pensou que dentro dele poderia haver um grande tesouro.

Puxaram-no para terra e levaram-no ao palácio real: se fosse um tesouro, o rei saberia recompensá-los.

Mas quando o rei abriu o caixote, nele encontrou apenas um menino que lhe sorria.

— As vossas suspeitas estavam certas — disse o rei para os pescadores. — Na verdade, este caixote traz um tesouro! Este caixote traz-me o filho com que sempre sonhei e que os deuses nunca me deram. E deve ter sido esta lua nele desenhada que o guiou até aqui.

Voltaram os pescadores para suas casas muito bem recompensados, mandou o rei guardar o caixote, e o menino ficou a viver no palácio, como se fosse seu filho.

E todos os súbditos diziam:

— Nunca houve príncipe como este!

E maravilhavam-se com a sua bondade e inteligência.

No dia em que o príncipe fez vinte anos, o rei chamou-o:

— Estou a ficar velho e cansado. Um dia serás tu a dirigir este reino e não duvido de que o farás com grande sabedoria. Mas há muito mais mundo para lá das nossas muralhas.

Há gente diferente de nós, que fala línguas diferentes
da nossa, que tem costumes diferentes dos nossos, que pensa
de maneira diferente de nós. E se tu não os conheceres,
nunca conhecerás o mundo como ele realmente é.
E nunca serás o rei que eu quero que sejas.

— Que terei de fazer, meu pai? — perguntou o príncipe.

— Leva o cavalo mais veloz das nossas cavalariças e vai
correr mundo. Esta é a melhor prenda de anos que te posso dar.

Andou o príncipe durante anos e anos pelos quatro
cantos do mundo.

Subiu montanhas, desceu vales, atravessou planícies,
cruzou oceanos.

Tremeu de frio, tombou de calor.

Ouviu misteriosas falas, dançou ao som de estranhas
músicas.

Conheceu gente de pele branca, amarela, negra.

E de cabelos loiros, castanhos, brancos, negros, ruivos.

Mas todos sorriam e choravam da mesma maneira.

De vez em quando, antes de adormecer, o príncipe
olhava para a Lua. E tinha a sensação de que ela lhe queria
dizer qualquer coisa.

Só não conseguia perceber o quê.

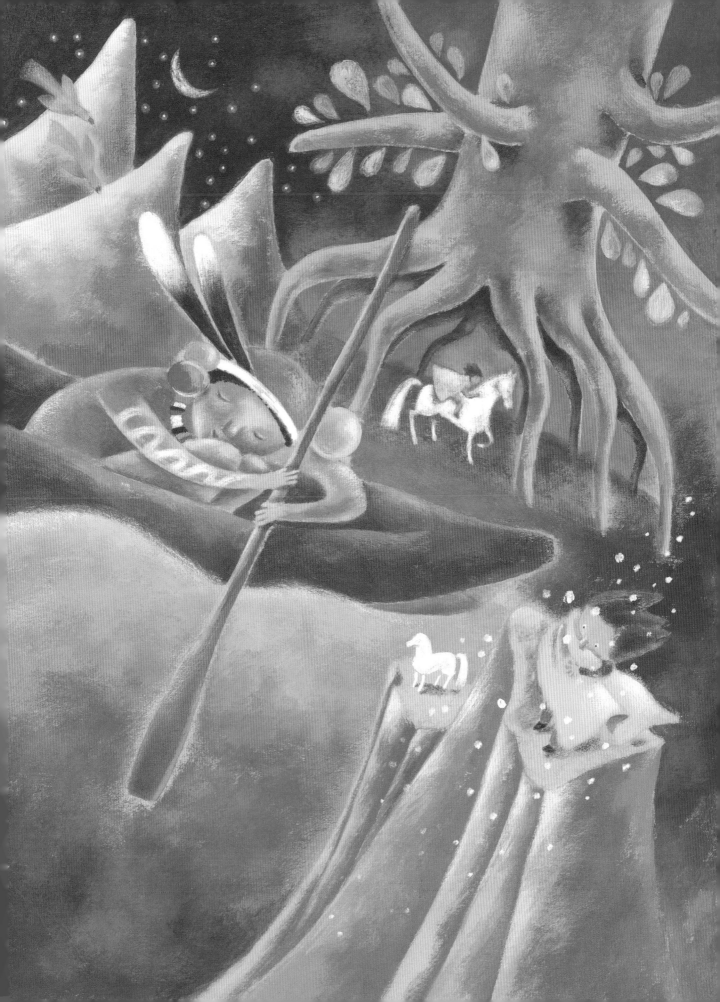

Andava o príncipe com muitas saudades do seu reino, do seu palácio e do seu pai, quando uma tarde, depois de muito caminhar, foi dar a uma estalagem a cair de velha. Ainda pensou em seguir viagem e procurar dormida num lugar mais acolhedor, mas sentia-se muito cansado, sem forças para continuar.

Bateu à porta e entrou.

Os estalajadeiros vieram recebê-lo mas logo o avisaram que iria ali encontrar muito pouco que o pudesse satisfazer:

— Temos tido anos muito maus — disse o homem.

— Anos de seca em que tudo morre por água a menos; a que se seguem anos de chuvas e inundações, em que tudo morre por água a mais — disse a mulher.

— E viveram sempre aqui? — perguntou o príncipe.

— Em novos vivíamos noutro lugar. Mas perdemos um filho por culpa nossa e os remorsos foram tantos que não aguentámos lá ficar muito tempo — disse o homem.

— Escolhemos então esta terra, mas tudo nos tem corrido mal. Estamos velhos e a vida é cada dia mais difícil — disse a mulher.

O príncipe perguntou se pelo menos lhe poderiam dar água, para que pudesse beber um pouco, lavar-se e seguir viagem.

O estalajadeiro encheu uma bacia de água e ia deitá-la sobre as mãos do príncipe, quando este recuou:

— Tu és velho de mais e sem forças para pegar nessa bacia tão cheia. Eu próprio tratarei de mim.

O velho estremeceu ao ouvir estas palavras.

— Que foi? — estranhou o príncipe. — Disse alguma coisa que te ofendesse?

— Não — respondeu o homem. — Lembrei-me apenas de que o filho que perdi me disse que eu havia um dia de lhe querer deitar água nas mãos e ele não iria deixar.

— E que tenho eu a ver com o teu filho? — perguntou o príncipe.

— A mesma idade, a mesma cor de cabelo, o mesmo tom da pele, o mesmo brilho no olhar — respondeu o homem, acrescentando: — Fora isso, mais nada: vós estais vivo e bem vivo, e sois filho de rei; ele deve estar morto há muito e não passava do filho de um pobre estalajadeiro.

— E de que terá ele morrido? — perguntou o príncipe.

O homem olhou para a mulher e, depois de alguns
minutos de silêncio, contou ao príncipe toda a longa história
do filho que abandonara dentro de um caixote no mar,
por temer que ele crescesse e passasse a mandar neles e eles
a terem de lhe obedecer em tudo.

— Desde esse dia que os remorsos não me deixam
dormir uma única noite em paz — murmurou a mulher.

— Desde esse dia que sonho encontrá-lo para o abraçar
e lhe pedir perdão — murmurou o homem.

Regressou o príncipe finalmente ao seu palácio, onde foi
recebido com grande alegria, muitas festas, bailes e banquetes.

Diante de tanta fartura lembrou-se o príncipe dos pobres
estalajadeiros e contou ao rei a estranha história
que deles ouvira.

— Uma criança dentro de um caixote de madeira castanha com uma lua desenhada na tampa? — perguntou o rei, intrigado.

— Pelo menos foi essa a história que ambos me contaram — disse o príncipe.

Resolveu então o rei contar ao príncipe a verdade da sua chegada àquele reino, mandando buscar o caixote guardado há tantos anos.

— Sabes agora que não és meu filho, mas como um filho sempre te tratei. E foste tu que eu preparei para me suceder no trono. Mas agora que sabes a verdade, és livre de fazeres aquilo que entenderes — disse o rei.

Ajoelhou o príncipe diante do rei, beijando-lhe a mão:

— Foste o único pai que me lembro de ter tido — disse — e serás meu pai até ao fim da minha vida.

No entanto, como tinha um coração de ouro, mandou o príncipe buscar os estalajadeiros e, depois de se dar a conhecer e de lhes perdoar todo o mal feito, ofereceu-lhes uma casa perto do palácio, onde pudessem viver até ao fim dos seus dias.

Mas contam os livros de História do reino que, em noites de quarto crescente e lua cheia, o estalajadeiro e a mulher desapareciam para só voltarem em quarto minguante.

E — contam ainda — nunca os remorsos desapareceram por completo dos seus corações.

Corre, Corre, Cabacinha

Era uma vez uma velha muito velha, mãe de muitos filhos e avó de muitos netos. Vivia numa casa escondida na floresta, e sabia como ninguém fazer pão de ló, arroz-doce, coscorões e papas de farinha com mel.

De vez em quando, um dos seus muitos filhos batia-lhe à porta e dizia-lhe:

Nós te fizemos
outra vez avó,
nós te fizemos
avó outra vez:
leva pão de ló
para o batizado
que é no fim do mês.

Então a velha passava trinta dias e trinta noites junto do fogão a fazer pão de ló, arroz-doce, coscorões e papas de farinha com mel e no dia aprazado metia tudo dentro de uma cesta, agarrava-se ao cajado — que os anos já pesavam —, atravessava a floresta e ia até à aldeia, para o batizado de mais um neto.

Um dia um dos filhos bateu-lhe à porta e disse:

Nós te fizemos
outra vez avó,
nós te fizemos
avó outra vez:
leva pão de ló
para o batizado
que é no fim do mês.
Só que desta vez
vais levar também
padrinho a preceito:
já corremos tudo
já tudo corremos
padrinho de jeito
é que nós não temos.

A velha ficou aflita: vivia sozinha e não conhecia ninguém que pudesse servir de padrinho ao neto acabado de nascer. Mas no dia aprazado pegou no cajado e pôs-se ao caminho, a cesta bem carregadinha com as iguarias do costume.

Ainda mal acabara de passar a primeira clareira da floresta quando o lobo lhe salta ao caminho, gritando:

Velha, velhinha
velha, velhão
como-te inteirinha
com cesta e bordão!

Tremendo, tremendo, tremendo de medo, a velha respondeu:

Eu estou tão magrinha,
nem terei sabor!
Deixa-me ir à festa,
voltarei melhor,
com a barriga cheia
de mel e farinha
poderás então
comer-me inteirinha
com cesta e bordão!

O lobo pensou uma, pensou duas, pensou três vezes,
e lá deixou a velha seguir o seu caminho, não sem antes
a ter feito jurar que, assim que o Sol desaparecesse nas
montanhas, ela voltaria do batizado para ele a comer
e matar finalmente a fome.

Tão assustada ia a velha pelo caminho fora que nem
reparou num vendedor de cabaças que dela se aproximava,
perguntando:

Onde vais, velhinha,
assim tão curvada,
que foi que te pôs
assim assustada?

Tremendo, tremendo, tremendo de medo, a velha respondeu:

Vou ao batizado
de mais um netinho,
vou cheia de medo
e não acho padrinho.

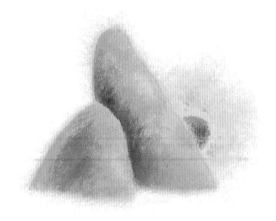

E logo ali lhe contou o que se tinha passado e o que prometera ao lobo. O velho conversou uns minutos com as suas cabaças, e depois ofereceu-se para padrinho, dizendo-lhe que não pensasse mais no assunto, que tudo se resolveria:

Comei e bebei
bebei e comei,
que em chegando a hora
eu vos salvarei!

Batizado foi o neto, e a tarde se passou em danças e folias, com muito pão de ló, arroz-doce, coscorões e papas de farinha com mel.

E, de vez em quando, a velha murmurava:

Compadre, dizei:
em chegando a hora
como escaparei?

Mas o velho bailava, bailava, e só respondia:

Comei e bebei
bebei e comei,
que em chegando a hora
eu vos salvarei.

Quando o Sol desapareceu nas montanhas, o velho foi
então buscar uma das suas cabaças, a maior de todas, a mais
redondinha e amarela, e disse à velha que se metesse lá dentro
e fosse a rolar pelo caminho fora até casa, sem nunca parar.

E assim a velha foi rolando, rolando, rolando, por caminhos
e ladeiras, atalhos e clareiras, quando de repente o lobo lhe
saltou ao caminho, perguntando:

Ó cabaça, cabacinha
amarela, redondinha,
não viste no teu caminho
uma velha mirradinha?

Tremendo, tremendo, tremendo de medo, a velha respondeu:

Não vi velha nem velhinha
não vi velha nem velhão
corre, corre, cabacinha
corre, corre, cabação.

E lá continuou rolando, rolando, rolando sem parar, por caminhos e ladeiras, atalhos e clareiras.

Mas o lobo não desistia à primeira. Ia a velha já a atravessar a segunda clareira da floresta quando ele lhe saltou de novo ao caminho, dizendo:

Lembro-me agora que a velha
devia vir mais gordinha:
não viste velha anafada,
ó cabaça, cabacinha?

Tremendo, tremendo, tremendo de medo, a velha respondeu:

Não vi velha nem velhinha
não vi velha nem velhão
corre, corre, cabacinha
corre, corre, cabação.

Nem mesmo assim o lobo se convenceu. Estava a velha a atravessar a última clareira da floresta quando ele lhe salta de novo ao caminho, gritando:

Gorda ou magra, tanto faz,
se velha não tenho, tu me bastarás!

E com um salto
preparava-se para lhe cair
em cima quando a cabaça,
com a velha dentro, veio
a rolar, a rolar, a rolar pela
ladeira abaixo, sempre mais
depressa, entrando de
rompante pela casa dentro,
deixando o lobo a perder
de vista.

Logo a velha para fora da
cabaça pulou, a porta trancou
e de alegria bailou.

E quando, meses depois,
outro dos seus filhos lhe
bateu à porta para lhe
anunciar o nascimento
de mais outro neto, ainda
ela cantava:

> *Não vi velha nem velhinha*
> *não vi velha nem velhão*
> *corre, corre, cabacinha*
> *corre, corre, cabação.*

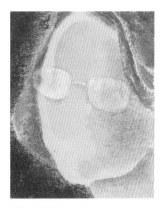

Alice Vieira

Alice Vieira nasceu em Lisboa.
Começou a sua carreira de jornalista
em finais dos anos 60, e desde 1979
dedica-se também à escrita de livros.

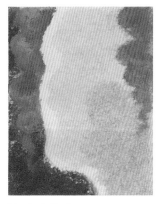

Maria João Lopes

Sempre adorei o cheiro e a textura
dos papéis, a matéria pastosa das tintas.
Passei pelo Cinema de Animação, pela BD,
estudei Literatura, Linguística, frequentei
cursos para aprender a desenhar e pintar
melhor, e dei aulas antes de me dedicar
por inteiro aos rabiscos e às pinceladas.

Histórias Tradicionais Portuguesas

O Menino da Lua | Corre, Corre, Cabacinha
Autora: Alice Vieira
Ilustradora: Maria João Lopes
© Editorial Caminho, 2009

Design: Lupa · info@lupadesign.pt
8.ª edição
Tiragem: 2000 exemplares
Pré-impressão: LEYA, SA
Impressão e acabamento: EIGAL
Data de impressão: fevereiro de 2017
Depósito legal n.º 421 145/17
ISBN: 978-972-21-2054-8

Editorial Caminho
Uma Editora do Grupo LeYa
Rua Cidade de Córdova, 2
2610-038 Alfragide — Portugal
www.caminho.leya.com
www.leya.com